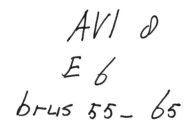

Solo: David Dommel

Daan van Driel

educatieve

uitgeverij

Maretak

VillA Alfabet is een leesserie voor de betere lezer van groep 3 tot en met groep 8.
VillA Alfabet oranje is bestemd voor lezers vanaf groep 3.
Een VillA Alfabetboek biedt de goede lezer een uitdagende lees-ervaring en verdiept deze ervaring door het extra materiaal dat in het boek is opgenomen. Daarnaast is bij elk boek materiaal ont-wikkeld dat in een aparte uitgave is verschenen: 'VillA Verdieping'.

STICHTING NEDERLANDSE
KINDERJURY
2004

© 2003 Educatieve uitgeverij Maretak, Postbus 80, 9400 AB Assen

Illustraties: Marijke ten Cate
Tekst blz. 4 en blz. 100-101, 103: Ed Koekebacker en Suzanne Schweppe
Vormgeving: Cascade visuele communicatie, Amsterdam
ISBN 90 437 0209 9
NUR 140/282
AVI 8

Inhoud

(Als je ♠ tegenkomt, ga dan naar bladzij 103.
En als je het boek uit hebt, kom dan op bezoek in
VillA Alfabet, op bladzij 100-102.)

Solo: alléén een muziekstuk spelen is fijn. Vooral als je merkt dat het goed gaat. Maar je alleen vóelen maakt zo verdrietig. Dat kan zó erg zijn dat verdriet verandert in woede.

1 Een nieuwe klas

David was uit zijn humeur. Hij smeerde een dikke laag pindakaas op z'n brood, maar zin in eten had hij niet. Vanmorgen was hij voor het eerst naar zijn nieuwe school geweest.
Ze waren vorige week verhuisd, van Amsterdam naar Zalkerbroek, maar dat verhuizen was niet zijn idee. Zoiets verzin je niet als je bijna negen bent of nog pas acht.
Nini zat tegenover hem aan tafel en vertelde enthousiast over de nieuwe school.
'Ik moest voor de klas gaan zitten in een grote stoel op een soort podiumpje. "Iedereen die iets bijzonders te vertellen heeft, mag hier op deze plek zitten," zei de meester. "En jij bent nieuw, dus jij hebt ons iets te vertellen".'
Nini sneed haar boterham in vier stukken.

'Vanmiddag na schooltijd ga ik spelen bij het meisje waar ik naast zit. Als het mag. Mag het?' Mama knikte. 'Tuurlijk,' zei ze, 'dooreten, Maurits, we moeten over een halfuur weer naar school.' Nini propte het brood in haar mond. 'Evaline heet ze. Ze woont in de buurt van het park.'

Mama had hem vanmorgen over de drempel gezet in zijn nieuwe klas. De bel was gegaan en de kinderen zaten al op hun plaats. Mama was in de deuropening blijven staan om te kijken waar hij kwam te zitten, maar ze bleef maar eventjes want ze moest met Maurits naar de kleuterklas.

'Dit is David,' had ze gezegd. Ze had hem een klein zetje gegeven en de juf een hand. Het was rumoerig in de klas...

Nini stond op van tafel, nam haar fluit die op de vleugel lag en haalde hem uit elkaar. 'En toen vertelde ik dat ik dwarsfluit speelde. "Speel jij dwarsfluit?" zei de meester, "er spelen al drie meisjes uit onze klas dwarsfluit. Dus nu vier, vier dwarsfluiten en we hebben ook nog een paar kinderen die blokfluit spelen. En een klarinet. We krijgen nog eens een echt orkest".'

Nini legde de drie delen van de fluit voorzichtig in de doos; het mondstuk, het middenstuk en het eindstuk pasten precies in de met fluweel beklede uitsparingen. 'Ik ben benieuwd hoe die andere meisjes spelen.'

'Hoe was het bij jou in de klas, David?' vroeg mama.

David haalde zijn schouders op.

'Gewoon,' zei hij, 'gewoon goed.'

'Ga maar zitten, jongen. Ik heb een plaatsje voor je bij het raam, tussen Robbie en Henk-Jan.'

Robbie schoof zijn stoel naar achteren op het moment dat David naar zijn plaats liep. 'Hè Robbie,' zei de juf, 'doe niet zo flauw.' Langzaam trok Robbie zijn stoel terug. Hij grinnikte een beetje en ook Henk-Jan moest lachen.

De kinderen zaten in een soort vierkant met een paar tafeltjes in het midden en drie tafels tegen het bureau van de juf.

'Dit is David Dommel, hij komt uit Amsterdam en nu komt hij bij ons in de klas. Amsterdam is een

grote stad, nietwaar David? Wie is er wel eens in
Amsterdam geweest, jongens en meisjes?'
Twee, drie kinderen staken hun vinger op.
'Goed zo, Ed en Ietje en Vera, die weten dus zo'n
beetje waar David vandaan komt. David woonde in
een soort flatgebouw aan een drukke weg met een
tram. Wie is er wel eens in een tram geweest?'
Hij had gelukkig net op tijd zijn vinger niet
opgestoken, de drie kinderen van net wel.
'De papa en mama van David dachten: nu hebben
we lang genoeg in zo'n drukke stad gewoond. We
gaan fijn in een huis wonen met een tuin en toen
hebben ze hier in ons dorp een huis gekocht, hè
David?'
De juf keek hem even aan en ging toen verder.
'David, jongens en meisjes, woont in dat grote,
witte huis aan de Zuiderzeestraatweg vlakbij het
viaduct. Davids mama zei: "Tjonge wat is het hier
in dit dorp fijn wonen," nietwaar David?'
De juf praatte en praatte. En ten slotte aaide ze
hem over zijn hoofd: 'Nou David, je boft maar, je
woont in een mooi huis in een prachtig dorp en je

bent terechtgekomen in een gezellige klas met
aardige jongens en meisjes!'
Nini pakte een muziekboek van de standaard.
Mama prikte een stukje brood aan haar vork. 'Kom
op Maurits, we hebben nog een klein halfuur.
David, jij kunt best nog even vioolspelen.'
David nam het laatste stukje brood van zijn bord
en liep ermee naar de trap.
Hij had al viool les vanaf zijn vijfde. Eerst op de
muziekschool, later van de bekende vioollerares
Toosje van Wijdenbreed. Je hebt talent, had
Toosje gezegd, maar je moet me wel beloven dat
je hard studeert.
Toen hij zes was, studeerde hij een halfuur per
dag, maar nu was dat wel meer dan een uur. Als
hij dat aan iemand vertelde, dan kon die dat niet
geloven. Dat een kind van acht of bijna negen
zoveel uur per week studeerde. Maar voor hem
was het heel gewoon. Vioolspelen hoorde erbij.
Ze hadden afgesproken dat hij na de verhuizing
nog een tijdje bij Toosje van Wijdenbreed op les
zou blijven.

Deze week was wel heel bijzonder. Zaterdag mocht hij voor het eerst van zijn leven meedoen met een wedstrijd, een concours. Hij had er al meer dan twee maanden voor geoefend.
David haalde zijn viool uit de kist en draaide aan de fijnstemmers.

2 Pindakaasnegens

Die middag waren ze laat, net als die morgen.
Nini mopperde. Ze had zo graag voor schooltijd
willen oefenen op haar dwarsfluit met de meisjes.
'Schiet op,' zei mama, 'schiet op.'
David kwam op het nippertje de klas binnen. De
meeste kinderen zaten al op hun plek. David liep
snel naar zijn plaats, maar ging niet zitten. Zijn
stoel lag onder zijn tafel. David keek om zich
heen. Het was stil in de klas en de kinderen
keken zijn kant uit.
De juf wachtte. 'David? Ga je niet zitten?'
'Mijn stoel juf.'
Nu zag de juf wat er de hand was.
'Wie heeft dat gedaan?'
Niemand zei wat.
'Robbie?'

Robbie schudde zijn hoofd.

'Henk-Jan?'

'Ik niet juf.'

'Erwin? Of eh... Hans... Martijn?'

Het bleef stil.

'Dit is niet leuk,' zei de juf, 'dit vind ik niet leuk. Zet de stoel maar overeind, David, en ga zitten.' Ze begonnen met rekenen. Vanmorgen waren ze daar niet aan toegekomen. De juf had een kwartiertje staan uitleggen, maar voor David hoefde dat eigenlijk niet. Hij snapte de sommen zo ook wel. Hij zou de juf en de kinderen wel eens laten zien wat hij kon.

Toen hij een tijdje bezig was, boog Robbie zich naar hem toe. 'Weet jij deze som, snap je die?' David was zo ingespannen aan het werk, dat hij niet meteen begreep wat Robbie bedoelde.

'Deze som,' fluisterde Robbie, nu iets harder. Hij wees met zijn pen som twee aan, som twee van het derde rijtje.

'Deze som, déze...' Robbie zette een streep bij de som die hij bedoelde. Of hij dat expres deed of

per ongeluk, dat wist David niet, maar in zijn
nieuwe rekenboek stond wel een dikke kras.
Aarzelend stak hij zijn vinger op, maar Robbie gaf
hem een schop onder de tafel. David liet zijn
vinger meteen zakken.
'Henk-Jan,' fluisterde Robbie. Hij boog zich voor
David langs naar voren, pakte een correctiestift
van de tafel van Henk-Jan en gaf de stift aan
David. De punt van de correctiestift was plat en
geraffeld en er zat blauwe inkt op. Toch maar
proberen. Heel voorzichtig veegde hij met de stift
over de streep, maar in plaats dat de streep
verdween, ontstond er een nog veel grotere.
David keek naar de juf. Ze zat aan de andere kant
van de klas aan een ronde tafel en besprak een
som met een paar kinderen. David deed een
beetje spuug op zijn vinger en poetste over de
lelijke streep in zijn boek.
Robbie boog zich naar hem toe.
'David, doe niet zo stom,' fluisterde hij, 'dan
wordt het toch veel erger.'
David keek verschrikt om zich heen.

'Hoe kun je zoiets nou doen?' hoorde hij Robbie nogmaals fluisteren.

David voelde dat Henk-Jan over zijn schouder meekeek. De jongen die schuin voor hem zat, keek ook. Er klonk gemompel, gefluister. Het meisje dat vlak voor het bureau van de juf zat, draaide zich om, stond op en liep naar Davids tafel. Met een schelle stem riep ze: 'Juf, David heeft in zijn rekenboek geknoeid.'

Er klonk geschuifel van kinderen die van hun plaats kwamen om te zien wat er gebeurd was.

David keek naar de streep, het was een vlek geworden in de vorm van een boompje.

De juf kwam naar hem toe, bleef achter hem staan. Hij voelde het zijden sjaaltje dat ze om had tegen zijn haren strijken. 'Wat heb je nou gedaan, David?' vroeg ze zacht.

David wist niet wat hij moest zeggen.

'Weet je wel hoeveel zo'n boek kost?'

De juf legde haar hand op zijn schouder, niet echt boos, maar toch.

Hij sloeg zijn ogen neer.

'Ik schrik ervan,' zei de juf, 'dat doen we op deze school niet, David.'

De kinderen mompelden instemmend.

'Ik skrikke dervan,' bouwde Henk-Jan de juf na.

'En we adden die boeken pas ni'j,' zei het meisje met de schelle stem.

Het viel David nu pas op hoe raar de kinderen hier praatten. In Amsterdam zat hij op een school waar de kinderen gewoon praatten. Hier zeiden ze: ik vinne et ärg in plaats van: ik vind het erg. David keek vanuit zijn ooghoeken naar de kinderen om hem heen. Zo'n beetje de hele klas stond bij zijn tafeltje.

De juf klapte een paar maal in haar handen. 'Allé, iedereen op z'n plaats.' De juf deed het boek met een klap dicht en liep ermee naar voren. Hier en daar duwde ze wat kinderen voor zich uit en zette ze op hun plaats. Langzaam en lawaaiig gingen de kinderen zitten. De juf nam een sticker uit de bureaula en plakte dat op de buitenkant van het rekenboek.

'Gaan jullie maar verder met je werk,' zei ze, 'ook

de kinderen die ik net iets heb uitgelegd mogen aan het werk. Probeer maar.'
Ze keek de klas rond. Na een paar minuten was het stil in de klas. David had zijn pen gepakt. Hij keek om zich heen, maar verdergaan met zijn rekenwerk kon niet. Hij had geen boek.
Nu zag de juf het ook.
'Kom maar hier David,' zei ze.
Hij stond op.
'Neem je rekenschrift mee.'
David keek in zijn schrift. Hij had de eerste bladzij bijna vol. Hij had erg zijn best gedaan en het zag er mooi uit.
'Zo,' zei de juf. Ze keek in haar antwoordenboek en in het rekenschrift van David. 'Zo, dat is allemaal goed. Werkte jij in Amsterdam uit hetzelfde rekenboek?'
David schudde zijn hoofd.
In Amsterdam werkten ze op losse rekenbladen.
Die lagen in een grote boekenkast naast het bord
achter het bureau van de meester. 'We gaan
vandaag niet rekenen,' had de meester gezegd. Het

was de laatste dag dat hij op school was. 'En we
doen ook geen taal of aardrijkskunde of wat dan
ook. We gaan feestvieren! Niet dat we het leuk
vinden dat David van school gaat, maar...' Ze
hadden een boek voor hem gemaakt met
tekeningen, briefjes en verhaaltjes. Op het eind
van de morgen had iedereen hem een klein
afscheidscadeautje gegeven.
Steffie had niets bij zich en ze had niets gezegd.
Ze gaf hem alleen een hand, maar de volgende dag
kwam ze samen met haar moeder een koek
brengen. Een koek die ze zelf had gebakken, een
koek in de vorm van een viool.
'Steffie vindt het heel jammer dat je weggaat,' had
haar moeder gezegd. 'Echt jammer.'
'Nou, dan doe je het niet gek, zo'n eerste dag bij
ons op school. Je hebt al meer dan de helft af.' Ze
tikte met haar ring op de tafel. 'Wie is er ook al
bij som 4?'
Een meisje achterin de klas stak haar vinger op.
'Welk rijtje, Kim?' vroeg de juf.
'Het eerste rijtje, juf.'

'David hier is al met het derde rijtje bezig,
tjonge, jonge.' De juf knikte bewonderend. 'Maar
je moet wel op je negens letten. Die schrijf je
niet goed. Een negen zoals jij die maakt, noemen
we hier op school een pindakaasnegen. Doe jij
eens voor hoe het moet, Roel.'
Een jongen die aan de andere kant van de klas
zat, stond op en liep naar het bord.
'Eerst hoe het niet moet, een pindakaasnegen
dus.'

Roel tekende een negen op het bord die veel weg had van een g, een beetje overdreven, want zo'n negen schreef David echt niet.

Daarna tekende Roel een goeie negen op het bord, een rondje met een mooi boogje links naar beneden.

'Zo doen we dat. Geen pindakaasnegens meer.'

De juf gaf hem een nieuw rekenboek.

'En zuinig ermee, hè.'

Na schooltijd holde David naar de kleuterklas. Daar stond mama al op hem te wachten samen met Maurits.

Thuis liep hij meteen naar zijn kamertje. Hij zette zijn etudeboek op de standaard, draaide zijn vioolstok op, stemde en begon te spelen.

Morgenmiddag had hij les. Dáár moest hij aan denken.

Pindakaasnegens, hij had nog nooit zoiets belachelijks gehoord. ♫

3 De laatste les

Toosje van Wijdenbreed woonde in een groot huis
aan de Herengracht, middenin Amsterdam. Mama
bracht David met de auto naar les. Zelf zou ze
samen met Maurits naar een vriendin gaan.
'Wil je echt niet dat ik erbij blijf?' had ze
gevraagd, 'het is de laatste les voor het concours.'
Maar David had geantwoord dat dat niet hoefde.
Even voor drieën draaide mama de Herengracht
op. Voor het huis van Toosje van Wijdenbreed
bleef mama staan, ondanks de ongeduldig
toeterende auto's achter haar. David sprong uit
de auto, haalde zijn viool uit de kofferbak en
maakte dat hij op het trottoir kwam.
Als Toosje lesgaf, was de deur nooit op slot, dus
eigenlijk hoefde hij niet aan te bellen. Maar hij
deed het toch, dan kon ze horen dat hij er was.

David was zenuwachtiger dan anders als hij les had. Vandaag moest hij extra goed spelen, zodat Toosje niet al te veel op hem aan te merken zou hebben.

Terwijl hij zijn viool uitpakte in de hal, kwam Toosje uit de leskamer met Sheryl. Sheryl had altijd voor hem les en ze zou ook meedoen zaterdag. Ze speelde verschrikkelijk goed.

'Kijk eens aan, David is er al,' zei Toosje. Ze hield de deur voor hem open. 'Hoe gaat het? En hoe is het in het nieuwe huis?'

Ja, hoe gaat het? Oe giet et? dacht David. Hij sloeg een a aan op de piano en stemde zijn viool.

'En ben je al naar school geweest?' vroeg Toosje 'Weten ze op je nieuwe school dat je vioolspeelt?'

'Ja, eu...' zei David.

'Kom op, snel aan het werk, we moeten ons op het concours concentreren.'

Toosje keek op haar horloge. 'Goed, let op, we doen nu net of het zaterdag is. Hier zit het publiek, ja hier zo.' Ze ging tegenover David staan bij de bank en wees aan waar het publiek zat, 'en ik ben de jury en ik zit hier.' Ze ging zitten op de pianokruk voor de vleugel. 'Je speelt het hele stuk in één keer, dan kan ik meteen de tijd opnemen. En je weet het, nooit zomaar beginnen, eerst concentreren.'

David begon met het Largo van Veracini. Het was een langzaam stuk en het leek makkelijk, maar om het echt mooi te spelen was een kunst.

Terwijl hij speelde, schreef Toosje van alles op. 'Hmm, tja,' zei ze toen hij zijn viool onder zijn kin vandaan had gehaald, 'niet slecht. Maar je moet je wat meer richten op de grote lijnen. Vanaf maat 27 bijvoorbeeld maak je een crescendo, maar plotseling stop je daar weer mee. Waarom doe je dat?' Ze wees met haar vioolstok de maat aan in zijn boek. 'Doorspelen dus en de muzikale zinnen afmaken. De laatste noot van 7 moet langer gespeeld worden en dat geldt ook voor maat 15, 31 en... 63.'

David probeerde alles wat ze zei zo goed mogelijk te onthouden.

Op het concours moest hij nog twee andere

stukken spelen. Een sicilienne en een sonatine van Dvořák.

'De sicilienne gaat heel goed,' had Toosje vorige week gezegd. De sonatine van Dvořák was het lastigst. Het was een Hongaarse dans.

'Ik weet niet hoe ik me dat voor moet stellen,' had hij gezegd. 'Hongaars of Russisch of Spaans... wat maakt dat nou uit, een dans is een dans.'

'Dat maakt wel degelijk uit. Een Hongaarse dans gaat zo,' zei Toosje en ze danste door de kamer.

'Speel maar ondertussen,' hijgde Toosje, 'dan kun je zien wat de muziek doet. Let op mij en hoe ik beweeg. En gewoon doorspelen.' Ze draaide om de tafel en om de vleugel, de gang in, de hal door en toen danste ze weer de kamer binnen.

Uitgeput plofte ze na een paar minuten neer op een stoel.

'Zo dus,' zei ze.

Het was zo'n gek gezicht. Hij had er een trilstok van gekregen.

Toosje was niet helemaal tevreden over het laatste deel.

'Hoor eens,' zei ze, 'als jij het zo speelt, maak je natuurlijk nooit een kans op een prijs, dat begrijp je wel. Je presentatie is trouwens ook waardeloos.'

'Presentatie?' vroeg David aarzelend.

'Ja, hoe je erbij staat. Je staat erbij als een zoutzak. Je beweegt helemaal niet. Neem nou

Sheryl, die doet tenminste wat met haar lichaam, haar lichaam doet met de muziek mee. Zo hoort dat. Als je beweegt, kijkt het publiek naar je, dan zien ze dat je muzikaal gevoel hebt. Als de mensen jou zo stil zien staan, vallen ze in slaap. En dat wil je toch zeker niet!'

David schudde zijn hoofd.

'En wat voor kleren doe je aan? Je kunt daar natuurlijk niet aankomen in dit soort kleren. Afijn, daar zal ik het met je moeder nog wel over hebben...'

Ze werkten nog meer dan een uur. Eerst alleen met viool en later nog met de vleugel met meneer Doekjes. Hij was pianist en maakte ook zelf muziekstukken en hij zou David begeleiden op het concours. Toosje gaf aanwijzingen, liep door de kamer, luisterde, zong een paar maten voor, stopte, klapte in haar handen, deed zelf een stukje voor op de piano. Ze werkten hard, maar er leek veel mis te gaan deze middag. Dit was niet goed en dat kon nog beter en dat klonk niet helemaal zuiver, en toen mama hem kwam halen, wist hij helemaal niet meer of hij het wel zo leuk vond, dat concours. Sheryl zou het natuurlijk veel beter doen, Sheryl deed áltijd alles veel beter.

'Hoe ging het?' vroeg mama.

'Ik mag niet mopperen,' zei Toosje, 'hier en daar kan het wat beter. Dat is logisch. David weet zelf wel wat hij er nog aan kan doen. Hij moet de komende dagen hard studeren. Studeren, studeren en nog eens studeren. Als hij dat doet, kan er best een goed resultaat uitkomen.'

'Fijn,' zei mama, 'we doen ons best.'

Ze gaf David een hand. Samen liepen ze naar de auto, die om de hoek stond op een parkeerterreintje. Maurits was nog bij de vriendin van mama. Die gingen ze nu eerst ophalen.

'Jij boft maar met zo'n lerares,' zei mama.

Hij knikte. De viool in zijn hand voelde een stuk zwaarder aan dan anders.

4 Plankhangen

David liep tegelijk met Dennis het schoolplein op. Dennis was een jongetje met zwart stekeltjeshaar. Hij zat bij David in de klas en was opvallend klein voor zijn leeftijd. Aan het stuur van zijn fiets hing een enorme tas.
'Ha David,' zei Dennis. Hij hield de tas angstvallig recht zodat die niet tegen het stuur of de stang aankwam en hij glunderde van oor tot oor.
'Hallo,' zei David.
Dennis glunderde nog eens breeduit.
Het leek of iedereen dat zag, want binnen de kortste keren stonden er wel twintig kinderen om hem heen.
'Laot ies kieken,' zei Martin.
'Eerst mijn fiets wegzetten,' glunderde Dennis.
Robbie trok de fiets van Dennis naar zich toe.

'Doe ik wel,' zei hij.

'Laot ies kieken,' zei Martin nog eens.

'Eerst naar binnen,' zei Dennis. Hij had de tas met beide armen vast en liep in de richting van de voordeur. Een hele sliert jongens volgde hem. Ook David liep erachteraan, want nieuwsgierig was hij wél.

'Wat is dat nou, jongens?' zei de juf.

Dennis zette de tas op tafel. 'Hier,' zei hij.

Uit de tas kwam een prachtige beker te voorschijn en een rood-wit-blauw lint met een medaille. Dennis deed het lint over zijn hoofd en liet trots de medaille zien. *1e categorie 6-12 jaar plankhangen* stond er op de medaille.

Op de beker was een plaatje aangebracht: *Dennis Tedinnersdorst, 3e plaats plankhangen*. En daaronder stond: *ALGEMEEN*.

'Heb jij gewonnen?' vroeg de juf. Dat had ze natuurlijk niet hoeven vragen, dat was wel duidelijk. Maar waarmee?

Toen ging de bel.

'Ga allemaal maar zitten,' riep de juf. Binnen een

paar minuten was iedereen binnen en zat
iedereen op zijn plaats, behalve Dennis. Hij
stond bij het bureau van de juf en keek vrolijk
rond.

'Het is hem gelukt,' riep de juf, 'hoera voor
Dennis.'

'Hoera,' riepen de kinderen, 'hoera.'
Ze joelden en juichten en roffelden met hun
handen op de tafels en stampten met hun voeten
op de vloer.

Toen zag de juf David zitten. David trommelde
wel met zijn vingers op de tafel, maar niet zo
hard. Hij begreep niet goed wat dat was:
plankhangen.

De juf stak haar handen omhoog en zwaaide
daarmee. 'Stil, stil, stil jongens,' riep ze. Het
duurde even voor alle kinderen stil waren. 'Er is
hier iemand die natuurlijk niet goed snapt waar
dit over gaat, nietwaar David? Jij snapt natuurlijk
niet precies waarmee Dennis deze prijzen heeft
gewonnen. Dat snappen wíj wel, maar we
snappen ook dat jij het dus níet snapt.'

'En honderd euro,' zei Dennis zacht, 'honderd euro heb ik ook gewonnen.'

'Dennis, vertel zelf maar.'

'Nou,' begon Dennis, 'ik en de andere kinderen van de klas deden mee met een wedstrijdje plankhangen hier in het zwembad. Je moest aan de duikplank gaan hangen en wie dat het langst volhield, had gewonnen.'

'En als je het niet langer meer kon houden dan viel je in het water, hè Dennis,' zei de juf.

'Er deden wel tweehonderd kinderen mee en ik bleef het langst hangen van iedereen.'

'En toen mocht Dennis meedoen met een wedstrijd voor kinderen uit de provincies Overijssel en Gelderland. Die wedstrijd was helemaal in Arnhem.'

'En ik ging met hem mee,' riep Martin.

'Uit elke stad mocht één iemand meedoen en omdat Dennis in Kampen had gewonnen, werd hij voor de wedstrijd in Arnhem uitgenodigd. En die wedstrijd was gistermiddag. Hoelang ben je gisteren blijven hangen?'

'Drie minuut vijfenveertig,' zei Dennis.

'Fantastisch hoor. Heb je nog geoefend?'

'Een klein beetje, vorige week een keertje.'

'Zo,' zei de juf, 'knap hoor, drie minuut vijfenveertig. Dat doen we hem niet na.'

'En omdat ik bij de kinderen de beste was, mocht ik ook meedoen met de volwassenen.'

'Zo, zo,' zei de juf.

'En daar werd ik derde.'

'En hoe lang bleef je toen hangen?'

'Drie minuut tweeënveertig.'

'Ik vind het werkelijk heel bijzonder. We hebben een echte kampioen in ons midden. Laten we hem nog maar eens een flink applaus geven.'

Er klonk een geweldig applaus. Dennis pakte de beker en hield die zo hoog hij kon boven zijn hoofd.

'Nou,' zei de juf, toen de kinderen uitgeklapt waren, 'ga maar zitten Dennis. Straks mag je met je medaille en de beker de klassen rond.'

Nadat ze begonnen waren en de juf over David en Goliath verteld had, gingen ze rekenen. Ze kregen

een blad met gemakkelijke tafelsommen. David keek naar de klok boven het bord. De grote rode secondewijzer ging met schokjes rond. Drie minuut vijfenveertig, hij zou eens kijken hoeveel sommetjes hij in die tijd kon maken. Hij wachtte tot de rode wijzer op de zestig stond. Nu, zei hij bij zichzelf. Razendsnel zette hij de antwoorden achter de sommetjes. Met een schuin oog hield hij de klok in de gaten. Drie minuut dertig. Nu moest hij opletten. Vijfenveertig. Stop. Hij telde de rijtjes. Elf, en van het twaalfde rijtje drie sommetjes. Achtenvijftig sommen dus. Drie minuten en nog wat was toch eigenlijk helemaal niet zo lang? Hij kon zich niet voorstellen dat je daarmee een wedstrijd kon winnen.

Robbie stootte hem aan. 'Zeven keer vier?'

'Achtentwintig,' zei David.

Robbie was nog maar pas aan zijn derde rijtje.

5 De klassen rond

Om tien uur mocht Dennis de klassen rond. Hij
mocht twee kinderen meenemen.
'Martin en Robbie,' zei Dennis.
'Goed,' zei de juf, 'En ik had gedacht dat David
voor deze keer ook maar mee moet. Dan kunnen
jullie hem de school laten zien. Vind je dat goed?'
'Nou ja...' zei Dennis. Het was duidelijk dat hij
liever Henk-Jan of Christiaan of Maurits of Jeffrey
had meegenomen.
'Mut die pindakaasnegen uut Amsterdam echt
mee?' zei Henk-Jan.
'Pindakaasnegen,' grinnikte Robbie.
'Wat zei je? Pindakaasnegen?' zei de juf, 'je moet
niet zo flauw doen. David schrijft heel netjes. Ik
heb geen pindakaasnegens meer gezien bij hem.
Ja, hij maakt nu zelfs mooiere negens dan jij.'

Robbie mocht de medaille vasthouden, Martin de beker, Dennis zou aankloppen en zijn verhaal vertellen. David had niks en liep maar zo'n beetje achter de jongens aan. Hij was liever op zijn plaats blijven zitten in de klas.

Ze liepen eerst naar groep 8.

'Plankhangen?' zei meester Cees, 'mooi zo, dat heb je mooi gedaan Dennis. En wie is dat?' Hij wees naar David.

'David,' zei David, 'ik heet David en ik kom uit Amsterdam.'

'Amsterdam, dan ben jij een broertje van Nini.' Nini zat middenin de klas en lachte wat.

'Is hij een beetje aardig, Nini?'

'Ja hoor,' zei Nini, 'dat gaat wel.'

'Leuk dat jullie hem aan ons voorstellen. Zo te zien kunnen jullie goed opschieten met elkaar.' Meester Cees gaf een kaart aan Dennis met *Congratulations* erop. Op de achterkant tekende hij een poppetje aan een duikplank. *Voor Dennis,* schreef hij eronder, *van groep 8.* De kinderen van groep 8 klapten in hun handen.

Nog voor ze binnen waren in groep 7, werd er hoera geroepen. Erik, de oudste broer van Dennis, zat in deze klas. Hij had al verteld over de wedstrijd. De meester van groep 7 pakte Dennis bij zijn middel, tilde hem hoog op zodat hij de ijzeren stang kon pakken die van de ene kant van het lokaal naar de andere liep.
'Hou vast, joh en laat eens wat zien.'

Dennis hing daar hoog boven de klas en grijnsde vrolijk naar de kinderen beneden zich. Na een minuut of drie liet hij zich vallen op de lege tafel van de meester en met een sprongetje stond hij weer op de grond. De kinderen joelden, klapten en floten. Een paar jongens van groep 7 namen Dennis op de schouder en droegen hem de klas rond.

In de hal kwamen ze langs het kamertje van de directeur. Ook hij was vol bewondering. 'En jullie laten ook jullie nieuwe vriend de school eens zien. Mooi hoor. Jij heet David hè. Laat hem maar overal kijken, Robbie.'

Ze kwamen bij het magazijn, waar de schriften, pennen, potloden en gummetjes lagen.

Robbie opende de deur op een kiertje: 'Kijk, dit is het magazijn,' zei hij, 'en hiertegenover,' hij opende ook die deur, 'is het keukentje. En in dat kamertje hangen de meesters en juffen hun jassen. Die deur daar is de wc van de grote mensen.'

Robbie boog zich naar David toe en fluisterde:

'Daar ga ik zelf stiekem ook wel eens op. Je hebt daar zo'n blaasding voor je handen... kijk maar es.'

David deed een stapje naar voren en Robbie hield de deur een eindje open.

'Hup...' zei Robbie, terwijl hij David een zetje gaf en voor hij het in de gaten had, stond hij in de wc met de deur dicht. Aan de andere kant van de deur hoorde hij gegiechel. Het was pikdonker. Op de tast vond hij de deurknop. Hij duwde. De deur zat dicht. Hij hoorde de jongens weglopen.

6 Verstoppertje

Het gebeurde zo onverwacht, dat Davids adem stokte in zijn keel. Net of hij in een veel te koud bad sprong. Hij voelde kippenvel van zijn billen omhoogkruipen tot zijn schouders. Diep haalde hij adem. Op hetzelfde moment vond hij het lichtknopje. Hij keek om zich heen. Voor een wc was het een tamelijk grote ruimte. In de hoek was een fonteintje en naast het toilet een prullenbak.

De deur van de wc kwam uit op de hal. De directeur zat een eindje verderop in een kamer, maar die had de deur waarschijnlijk dicht. In de hal was niemand. Tenminste zonet niet. Als David wilde dat iemand hem hoorde, dan moest hij flink wat lawaai maken.

Met een vlakke hand gaf David een klap op de

deur. Hij wachtte een ogenblik en luisterde. Weer
sloeg hij tegen de deur, nu met beide handen en
net toen hij wilde gaan roepen, zag hij de
deurkruk bewegen.
'Tjonge, wat klemt die deur,' hoorde hij zeggen.
Met een ruk ging de deur open. Voor hem stond
een grote vrouw met een tas in haar hand. 'Wat
doe jij hier?'
David had wel weg willen rennen, maar de vrouw
stond middenin de deuropening. Hij kon geen
kant op. Ze pakte hem stevig bij zijn schouder en
keek hem doordringend aan. 'Jou heb ik hier op
school niet eerder gezien. Je bent nieuw, hè?'
Ze was akelig dichtbij. David reikte niet verder
dan het vierde knoopje van haar bloes.
'Weet je niet waar jouw wc is?'
Ze wachtte even; ze was kennelijk ook
geschrokken.
'Dit is de wc voor de juffen en meesters. De
kinderen hebben een eigen wc. Begrepen?'
Ze trok hem aan zijn arm de drempel over, de
deur uit.

'Opgehoepeld, en laat ik je hier nooit meer zien.'
Met een knal trok ze de deur achter zich dicht.
David bedacht zich geen ogenblik, holde de hal
door, kroop op handen en voeten onder de
vensterbank langs zijn eigen klas, liep de gang
door naar de andere vleugel en zag dat de
jongens in de kleuterklas waren, in de klas waar
Maurits zat. De kleuters zaten in een kring en
Dennis stond op een bankje voor de klas. Hij had
zijn armen in de lucht.
David wist niet goed wat hij moest doen. Naar
binnen lopen kon natuurlijk niet en naar zijn
eigen klas gaan al helemaal niet. Hij moest dan
veel te veel uitleggen. Hij slenterde terug naar de
gang waar zijn lokaal was. Achter een kast
verstopte hij zich.
Na vijf minuten kwamen de drie jongens de hoek
om. Dennis voorop. David wachtte tot ze voorbij
waren, kwam uit zijn schuilhoek te voorschijn en
volgde hen op drie, vier meter afstand.
Robbie was de eerste die hem opmerkte.
'Jij hebt lang zitten plassen,' grijnsde hij.

'Daar konden we niet op wachten,' zei Martin, 'dat begrijp je.'

Dennis zei niks, maar vlakbij de klas duwde hij het stapeltje kaarten, dat hijzelf vasthield, in Davids handen. 'Hier,' zei hij.

De juf liep door de klas en haalde de schriften op. De kinderen zaten recht en wachtten af. 'Net op tijd,' zei de juf, 'het is bijna pauze. We staan op het punt om naar buiten te gaan. Hoe vonden ze het, Dennis? Geef de beker, de medaille en de kaarten maar aan Dennis, jongens en ga snel zitten.'

Dennis had zijn medaille nog om en een grote sliert jongens liep over het speelplein achter hem aan. Henk-Jan zat op een muurtje en pelde een mandarijn.

'Mag ik 'm nog even umme, Dennis,' riep Henk-Jan. Dennis hing de medaille om de hals van Henk-Jan. Die ging op het muurtje staan met de medaille om en hief zijn handen in de lucht.

'Wauw,' riep hij.

'Mag ik ook?' vroegen Robbie en Martin en
Richard en Martijn en Roel. Ze sprongen op het
muurtje en duwden en trokken.
David stond op een afstandje te kijken. Hij zou
ook wel op het muurtje willen klimmen tussen
de jongens in, maar hij bleef staan waar hij stond.
'Dennis...' riepen ze, 'Dennis.' En ze klapten
daarbij in hun handen. Dennis glom.
Pas tegen het eind van de pauze gingen ze
verstoppertje spelen. Dennis was em. Hij begon
te tellen: tien... twintig...
'Wacht ies even,' riep Henk-Jan. De jongens
waren nog geen drie, vier stappen weggerend. Ze
keken Henk-Jan afwachtend aan. 'Die pindakaasnegen uut Amsterdam wil misskien ok wel
meedoen.'
Hij wenkte David. 'Wi-j meedoen?'
David deed een paar stappen in de richting van
Henk-Jan en knikte.
'Oké, maar dan mu-j wel eerst die manderijne-
skellen oppakken en in de bak gooien. Niet wöör,
jonges.' Niemand zei iets.

Aarzelend bukte David zich, raapte de schillen één voor één op en gooide ze in de bak bij de deur.

'Goed edaon. En now die plakke brood nog. Ie mun et speelplein skone ollen. Andes ku-j niet meedoen.'

Naast de bak lag een stuk brood. David pakte het voorzichtig tussen duim en wijsvinger op en deed de deksel van de bak open.

'Nee, niet zo,' schamperde Henk-Jan, 'niet in de bak. In oe mond! Opeten! Der zit ok nog van die lekkere pindakaas op. We gaon toch niet zomaar brood weggooien.'

Opeens stond Henk-Jan achter David en pakte zijn arm vast. 'Even elpen jonges.'

Hij duwde Davids arm met het stukje brood omhoog, naar Davids mond.

Robbie en Richard pakten David ook beet.

David verzette zich, schudde met zijn hoofd, trok. Het brood raakte zijn gezicht, zijn neus. Tranen sprongen in zijn ogen.

'Nou is het genoeg,' riep Dennis plotseling. Hoe

klein hij ook was, hij sprong naar voren, gaf
Robbie een zet, Richard een douw, pakte het stuk
brood uit Davids handen en mikte dat in de bak.
'Geef m'n medaille terug,' zei hij tegen Roel.
'Grapje,' zei Henk-Jan een beetje teleurgesteld.
'Ik was em,' zei Dennis.
Hij begon te tellen. De jongens stoven alle
kanten uit.
David leunde tegen de muur. Hij haalde een paar
maal diep adem.
'...wie niet weg is, wordt gezien... Ik kom!'
Dennis draaide zich om.
'David, jij bent af,' riep hij. ♠

7 Misselijk

Mama en David gingen met de trein naar Den Haag. David stond om twaalf uur op het programma en ze moesten twee uur van tevoren aanwezig zijn om zich aan te melden en een kamer te zoeken om in te spelen. Papa, Nini en Maurits zouden oma ophalen en later komen met de auto.

David keek naar buiten naar de koeien, de huizen en de bomen, maar hij zag eigenlijk niks. De zon kriebelde in zijn ogen en hij had een raar gevoel in zijn maag en hoe dichter hij in de buurt van Den Haag kwam, hoe erger dat werd. Hij pakte de vioolpartij uit zijn vioolkist en begon de noten te bekijken. Hij hoorde de muziek in zijn hoofd en bedacht bij iedere noot hoe hij die zou gaan spelen. Hier wat harder, daar weer wat zachter, meer stok gebruiken, dichter bij de kam strijken...

'Zullen we nog wat drinken in de stationsrestauratie?' zei mama toen ze uit de trein gestapt waren. Op de grote stationsklok was het pas kwart voor negen. Ze hadden tijd genoeg. Een kwartiertje met de tram en dan waren ze er. David knikte; hij vond alles goed, maar echt zin in iets had hij niet. Hij was zelfs een beetje misselijk en de helft van het stuk appeltaart dat hij had gekregen, liet hij staan.

De tram stopte precies voor het gebouw waar het concours gehouden werd. Verlegen liep David achter mama aan het grote grijze gebouw in. Overal liepen kinderen van zijn leeftijd met hun viool. Het leek of iedereen elkaar hier kende. Aan een tafeltje achter een flesje prik zat Sheryl.

'Hoi,' zei Sheryl.

'Dag Mia,' zei mama. Ze gaf de moeder van Sheryl een hand.

'Wat leuk hè, al die kinderen die hier komen spelen,' zei ze. 'Ga maar zitten David, dan haal ik wat drinken voor je.' Ze pakte zijn viool en legde die op de tafel. 'Kijk, daar is Toosje. Heb jij haar al gezien, Sheryl?'

Toosje liep bedrijvig rond en nadat ze een meneer een hand had gegeven, kwam ze op hen af.

'Fijn, daar zijn jullie. Hoe is het, zijn jullie zenuwachtig? Natuurlijk zijn jullie een beetje zenuwachtig. Dat hoort er nu eenmaal bij, alleen onder spanning kun je presteren. Maar je weet het, je moet onder alle omstandigheden goed kunnen spelen.'

Ze ging aan de andere kant naast David zitten en keek hem goedkeurend aan. Hij droeg een zwarte bloes en had een rood vlinderdasje om, aan een elastiekje. 'Je ziet er enig uit hoor, heel netjes. Heb je je al gemeld bij de balie?'

Met z'n drieën liepen ze naar een mevrouw die alle namen noteerde van de kinderen die waren gekomen.

'Jij bent...?'

'David,' zei David, 'David Dommel.'

'David Dommel, welkom. Je moet..., even kijken,

om twaalf uur spelen en het is nu halfelf. Vanaf elf uur kun je terecht in kamer 306 om in te spelen.'

David kreeg een boekje, waarin te lezen was wie er wanneer speelde. Over ieder kind was een klein stukje geschreven, met een foto erbij.

'Ha Toosje.' Een man met een grote, witte baard liep op Toosje af. 'Hoe gaat het ermee? Zijn dit je leerlingen?' Hij wees naar Sheryl en haar zusje en naar David.

'Nee,' zei Toosje, 'alleen dat meisje met dat staartje en die bril en...'

'Dat is David Dommel,' zei de man, terwijl hij in het boekje bladerde, 'acht jaar en hij houdt van...'

David werd een beetje rood.

'Hij is een van mijn beste leerlingen,' zei Toosje.

'Ik ben benieuwd. Doe je best en jij natuurlijk ook.' De man draaide zich om en gaf Sheryl een klapje op haar schouder.

'Vind je het erg als ik alvast ga luisteren in de grote zaal?' vroeg mama.

'Dan ga ik mee,' zei de moeder van Sheryl.
'Ga maar gerust,' zei Toosje, 'ik blijf wel bij de kinderen.'

Telkens kwam er iemand bij hun tafeltje staan om met Toosje te praten en elke keer vroegen ze: 'Zijn dit je leerlingen?'
David werd een beetje gaar van het handjes schudden en van het glimlachen en knikken en hij was blij dat hij naar de inspeelkamer mocht.
Meneer Doekjes zat al klaar achter de piano.
David speelde eerst een toonladder om zijn vingers een beetje soepel te krijgen. Daarna speelde hij het eerste stuk met meneer Doekjes.
Het lukte niet goed; het leek of Davids vingers vast zaten.
Toosje zat op een stoel die ze achterstevoren had gezet en keek David streng en donker aan.
Midden onder het stuk liet hij zijn stok uit zijn handen vallen. De stok stuiterde op z'n puntje, maar er was gelukkig niks kapot.
'Oei, pas op, David,' riep Toosje.

David raapte snel zijn stok weer op en ging
verder waar hij was gebleven.
Meneer Doekjes was kennelijk ook zenuwachtig;
hij begon vaak iets te vroeg of hij speelde te snel
of te langzaam, maar Toosje deed net of ze dat
niet hoorde en toen David alle drie stukken had
doorgespeeld, zei ze: 'Je moet je zenuwen onder
controle houden. De mensen in de zaal moeten
denken dat je het helemaal niet eng vindt om te
spelen.'
Meneer Doekjes veegde met zijn zakdoek over z'n
gezicht.
'Je moet net doen of je voor je plezier speelt.'
Toosje keek heel ernstig.
Makkelijk gezegd, dacht David. Net doen of je het
leuk vindt. Zijn vingers waren ijskoud en het
vlinderdasje knelde om zijn hals.
Opeens kreeg hij het heel benauwd. Hij wilde
eigenlijk niet meer. Niet meer vioolspelen, niet
meer meedoen met de wedstrijd.
Mama kwam binnen. 'Je moet over tien minuten
spelen,' zei ze. ''t Ging goed hoor, de kinderen die

ik gehoord heb speelden heel mooi. En nu jij, kom op David.'

Ze drukte hem stevig tegen zich aan. 'Toi, toi, toi lieverd, gewoon lekker spelen. Papa en ik en de anderen zitten in de zaal. Oma is ook gekomen. We duimen voor je. Gewoon doen!'

Toosje liep heen en weer in de kamer. 'Als je op het podium bent, rustig naar voren lopen,' zei ze, 'dan buigen en de muziek op je standaard zetten. En als je klaar bent met spelen geef je meneer Doekjes een hand. Niet vergeten om een hand te geven en dan buig je nog een keer.'

David knikte. Hij friemelde aan zijn dasje. Hij hield zijn viool tegen zich aan om niet te laten zien hoe zijn hand trilde.

8 Solo

Een mevrouw in een blauw jasje kwam hem halen.
'Doe je best David,' zei Toosje. Op een holletje
liep ze naar de zaal. Meneer Doekjes en David
volgden de mevrouw door een grote gang. Ze
kwamen in een soort hal, waar drie stoelen
stonden. Recht tegenover hen was een deur met
een rond raampje erin. 'Als je de zaal wilt zien,
mag je wel even kijken,' zei de mevrouw
vriendelijk.
David probeerde door het raampje te kijken, maar
het was te hoog en hij zag alleen een stukje van
het plafond. Hij zei er maar niets van. Hij veegde
zijn handen nog eens af aan zijn broek om het
zweet eraf te krijgen, maar het hielp niets.
Opeens klonk er applaus vanuit de zaal. Meteen
stond David op. Zijn hart klopte in zijn keel. Was

hij niets vergeten? Wist hij nog wel wat hij moest spelen? De aanwijzingen van Toosje gierden door zijn hoofd.

De deur ging open en een meisje met een knoetje en een roze jurk kwam naar buiten.

'Succes ermee,' zei de mevrouw in het mantelpakje. 'Ga maar.' Ze gaf hem een klein zetje en plotseling stond hij in een enorme zaal.

Hij knipperde tegen het licht en liep naar voren. Hij wilde de zaal niet inkijken, maar toch zag hij vanuit zijn ooghoek de juryleden zitten aan een lange tafel. Allemaal hadden ze een pen en een schrijfblok voor zich. Ook de meneer met de grote, witte baard zat erbij.

Het publiek klapte en David boog. Precies zoals hij had geoefend, maar nu was het echt!

Zachtjes stemde hij zijn viool. Hij deed zijn ogen dicht en concentreerde zich. Toen haalde hij diep adem, keek meneer Doekjes aan en knikte. Het was doodstil terwijl hij het Largo speelde. Het trillen was verdwenen. Hij deed alles wat Toosje had gezegd en soms nog net wat meer, zodat het

bijna perfect klonk. Tijdens het applaus zag hij mama zitten.

Het tweede stuk was wat vrolijker en hij merkte dat het publiek zich ontspande. Af en toe glimlachte David onder het spelen en hij voelde dat hij veel meer bewoog dan tijdens de lessen van Toosje. En het ging gewoon vanzelf.

Daarna kwam het snelle stuk. Zijn stok vloog over de snaren en zijn vingers bewogen vlugger dan ooit. De mensen in de zaal konden bijna niet op hun stoel blijven zitten. Voor hij het wist, was hij bij de laatste noot. Zijn stok bleef trillend hangen in de lucht. Toen ontspande hij zich en een enorm applaus barstte los.

De mensen gingen staan en sommigen floten op hun vingers. David werd er verlegen van. Nu hij zijn viool niet meer onder zijn kin had, wist hij niet goed wat hij moest doen. Hij gaf meneer Doekjes een hand. 'Geweldig jongen, prachtig,' fluisterde die. Hij ging naast David staan en glunderde.

David moest wel drie keer buigen voor het

applaus minder werd. Terwijl hij het podium
afliep, merkte hij dat hij weer trilde. Hij had een
droge keel.

In de inspeelkamer pakte hij zijn viool in. Mama
kwam binnen en omhelsde hem, gevolgd door
Toosje.

'Heel mooi gespeeld, heel professioneel,' zei
Toosje.

'Pap is een paar broodjes aan het kopen. We eten
en drinken wat en daarna kunnen we nog even
luisteren als je wilt,' zei mama. 'Hoe laat speelt
Sheryl, Toosje?'

'Om tien voor twee. Ik ga nu naar haar toe. Ze
speelt straks om kwart voor één in met Gerrit
Doekjes.'

Papa, oma, Nini en Maurits zaten aan een tafeltje
in de grote hal.

'Je hebt heel mooi gespeeld,' zei oma.

'Mag ik een broodje kaas?' vroeg Nini.

'Dat meisje met dat roze jurkje speelde ook heel
goed,' zei mama.

'Ik vond het een beetje saai,' zei oma.

'Willen jullie koffie?'

'Om halfzes is de uitslag.'

David bladerde door het programmaboekje. Hij telde. Nog twaalf kinderen moesten spelen.

Af en toe kwam er iemand naar hem toe.

'Heb ik jou niet net gehoord? Mooi gespeeld, jongen.'

Het leek of Sheryl helemaal niet zenuwachtig was. Ze stapte met de viool onder haar arm de zaal in tot aan de rand van het podium, keek de jury aan, keek naar haar moeder, naar Toosje en ook naar David.

Ze zwaaide met haar viool, zette de muziek op de standaard en stemde.

Ze speelde voorzichtig, maar wel heel mooi, heel sierlijk, net of ze een beetje danste.

Na een tijdje luisteren was David al vergeten hoe hij zelf had gespeeld. Hij vond het leuk om te luisteren. Er waren maar weinig kinderen die niet mooi speelden. Het meisje na Sheryl begon een

paar keer opnieuw, omdat ze niet meer wist hoe
het verder moest en een ander meisje barstte
tijdens het applaus in tranen uit, waardoor de
mensen in de zaal nog harder klapten dan ze al
deden.
Om halfvijf waren de concertjes afgelopen en
maakte hij met papa een wandelingetje in de
buurt van de concertzaal. Ze aten een ijsje en
tegen halfzes liepen ze weer naar de zaal voor de
uitslag. Om kwart voor zes was de jury klaar met
vergaderen. David zat tussen papa en mama in.
Zenuwachtig was hij allang niet meer. Hij zat heel
rustig achterover in zijn stoel. Er waren zoveel
kinderen die prachtig hadden gespeeld, dat hij
helemaal niet meer aan zichzelf dacht. Sheryl had
fantastisch gespeeld. Toosje vond dat tenminste
en er waren nog twee of drie kinderen waarvan de
grote mensen, oma en Toosje en mama, zeiden
dat die een grote kans maakten.
De zaal zat helemaal vol. Voorin zat prinses
Máxima die vandaag de prijzen zou uitreiken. Nog
even en dan gingen ze naar huis.

De voorzitter van de jury kwam het podium op en ging achter een microfoon staan. Hij vouwde een papiertje open en kuchte. Het werd heel stil in de zaal.

'Geachte toehoorders. Wat hebben wij als jury genoten van het prachtige vioolspel. Wij waren zeer verrast over het hoge niveau dat de jonge talenten lieten horen. Het was dan ook moeilijk om een keuze te maken wat betreft de prijzen, maar uiteindelijk is de jury het eens geworden. Er worden dit jaar vier derde prijzen, twee tweede en slechts één eerste prijs weggegeven. We vinden het een grote eer dat prinses Máxima vanmiddag aanwezig is om de prijzen aan de jeugdige winnaars uit te reiken. Mag ik u verzoeken?'

De prinses stond op en liep via een klein trapje het podium op. David had nog nooit een prinses in levenden lijve gezien. De prinses had een lange, rode jurk aan en ze glimlachte aan één stuk.

'De derde prijzen gaan naar: Jozefien van der

Heiden, Sheryl van Gramsbergen...'
Zie je wel, dacht David, zij krijgt een prijs.
Natuurlijk krijgt ze een prijs, dat zat er dik in. De
rest van de namen hoorde hij niet, maar telkens
klonk er applaus en stond er ergens in de zaal
een kind op. De kinderen liepen één voor één het
podium op. Ze gingen naast elkaar staan. Sheryl
stond vlak naast prinses Máxima. De prinses
fluisterde Sheryl wat in het oor. Sheryl knikte.
Wat een bofferd, dacht David. Sheryl heeft de
prinses niet alleen maar gezien, zoals hij, maar
ook met haar gesproken. David was rechtop gaan
zitten om goed te kunnen zien wat er op het
podium gebeurde. Er stonden naast de voorzitter
van de jury en de prinses nu zes kinderen op het
podium.
'En dan nu de eerste prijs,' vervolgde de
voorzitter. 'Wij zijn tot de conclusie gekomen dat
deze violist met kop en schouders boven de rest
uitsteekt. De manier waarop hij op zo'n jonge
leeftijd de emotie van de muziek weet over te
brengen op het publiek is bewonderenswaardig.

Daarom hebben wij besloten om de eerste prijs
toe te kennen aan... David Dommel.'
Er klonk een enorm applaus. 'David Dommel,' werd
er nog eens geroepen.
David hapte naar adem. Papa omhelsde hem,
mama frunnikte het vlinderdasje nog even netjes
onder zijn boordje en Toosje greep zijn arm. 'Ga
naar het podium, toe dan, snel.' Haar hele gezicht
straalde.
David schuifelde langs mama, papa, Nini, Maurits
en oma en nog een paar mensen naar het eind

van de rij. Hij werd van alle kanten aangeraakt,
net of ze hem een zetje wilden geven, of ze
wilden zeggen: opschieten, er is geen tijd te
verliezen. Op een holletje liep hij door het
gangpad naar voren en klom onder groot applaus
het podium op. De voorzitter had de oorkonde
aan de prinses gegeven en beduidde met zijn
hand dat de mensen stil moesten zijn.
De prinses boog zich een beetje naar voren naar
de microfoon.
'Lieve mensen,' zei ze, 'vandaag heb ik de eer om
de prijzen uit te reiken. Ik moet u zeggen: mijn
zusje speelde vroeger viool en ik vond dat niet zo
mooi. Ik ging altijd snel buitenspelen als mijn
zusje moest oefenen op haar viool. En ik dacht:
ik luister nooit meer naar vioolmuziek. Tenminste
niet als kinderen dat spelen. Maar dat was een
beetje dom van mij. Want wat ik vanmiddag heb
gehoord, was heel prachtig. Dat jonge kinderen
zó op een viool kunnen spelen! Fantastisch. Ik
ben blij dat ik de prijzen mag uitreiken.'
Ze keek even de zaal rond en toen naar de

kinderen. De voorzitter schoof David naar voren.
Hij stond nu vlakbij de prinses.
'De eerste prijs is voor Daaaviet Dommèl,' riep de
prinses in de microfoon.
David deed een stap naar voren.
'Van harte gefeliciteerd.' Ze gaf David een hand en
overhandigde hem de oorkonde.
Er klonk een groot applaus. De voorzitter van de
jury feliciteerde hem en ook alle andere mensen
die op het podium stonden kwamen op hem af om
hem te feliciteren.
Hij moest nog een stukje spelen en na afloop
maakten ze foto's van hem voor de krant en een
mevrouw van het Jeugdjournaal stelde hem een
paar vragen.

9 Prachtig en fantastisch

David stapte die maandag het hek van de school
binnen alsof hij een andere wereld binnenstapte.
*Ze waren na het concours naar Amsterdam gegaan,
naar tante Nel, de zus van mama. Daar kwamen
oom Gerrit, tante Annie, opa en oma, de
buurvrouw en de buurman van de Rooseveltlaan,
tante Eefje, die niet echt een tante was, maar een
vriendin van mama... Ze kwamen allemaal om hem
te feliciteren.
'Je hebt prachtig gespeeld,' zeiden ze. 'Werkelijk
fantastisch. Heel goed! Prima! Schitterend!'
Peter en Frans, die bij hem in de klas zaten in
Amsterdam, waren er ook.
'Ik heb je op de televisie gezien voor het
Jeugdjournaal,' zei Peter enthousiast. 'Hartstikke
goed. Kom je morgen bij ons in de klas? Dan kun*

je vertellen hoe het allemaal gegaan is.'
'Goed idee,' zei Frans, 'en dan speel je een stukje
op je viool en eh... net als vroeger. Zal ik de
meester bellen of het mag?'
Wat had hij dat graag gewild: nog even naar zijn
oude klas.
Hij wilde 'ja' zeggen, maar hij zei: 'Ik moet naar
mijn eigen school.'
'Eigen school, eigen school,' zei Frans, 'je hoort
toch bij óns?'
'Vraag aan je moeder of het niet voor één keertje
mag en dan kan je wel bij mij slapen,' zei Peter.
'Ik vind het geen goed idee,' had mama gezegd.
'Papa en ik moeten naar ons werk en Maurits en
Nini moeten ook gewoon naar school.'
'Daar hebben we David,' zei de directeur. Hij stond
bij het fietsenhok en zag erop toe dat de
kinderen hun fietsen netjes in de rekken zetten.
'Ik heb jou in de krant gezien. Mooie foto jongen.
Een vioolwedstrijd, toch?'
Hij gaf David een hand. 'Wel gefeliciteerd.'
Toen David naar binnen liep om zijn sleuteltje in

het sleutelbakje te leggen, kwam de juf op hem
af met uitgestoken hand. 'Hartelijk gefeliciteerd,
David. Ik heb je zaterdagavond op de televisie
gezien. Vond je het spannend?'
Hij moest haar alles vertellen. Af en toe stak een
van de meesters of juffen van de andere klassen
hun hoofd binnen de deur: 'Waar is de kleine
violist David Dommel?' vroegen ze dan en
feliciteerden hem.
Toen alle kinderen in de klas waren en op hun
plaats zaten, zei de juf: 'Jongens en meisjes, ik
ga jullie iets bijzonders vertellen: zaterdag heeft
David een wedstrijd gewonnen met zijn viool. Ik
keek zaterdag naar het Jeugdjournaal en wie zag
ik daar... David. Ik dacht: zie ik het goed?'
De kinderen keken allemaal naar David.
'Wie heeft David ook op de televisie gezien?'
'David?' zei Henk-Jan spottend, 'die
pindakaasnegen veur de televisie?'
Twee, drie kinderen staken aarzelend hun vinger
op.
'David heeft een belangrijke wedstrijd gewonnen

met zijn viool,' zei de juf nog eens.

'Wat is dat, juf, een viool?' vroeg Ietje.

'Kijk,' de juf tekende met een krijtje op het bord.
'Dan heb je hier de stemknoppen en de snaren en
hier de ribbeltjes.'

Ze tekende zes snaren, vergat het staartstuk en
de f-gaten.

'Dat lijkt meer op een gitaar,' zei David zacht,
'een viool heeft vier snaren, geen zes en u heeft
de stok vergeten te tekenen.'

De juf ging achter haar bureau zitten. 'Ja, en nog
iets... Prinses Máxima was er ook. David heeft
haar zelfs een hand mogen geven.'

'De echte Máxima?' vroeg Marjolein, 'dat kan toch
niet. Máxima woont in een paleis. Daar kun je
niet zomaar bij.'

'En toch is het zo.'

David knikte. Ze keken hem allemaal zo raar aan.
Ook Henk-Jan en Robbie. Misschien waren ze wel
trots op hem, vonden ze het heel bijzonder dat er
een jongen als hij bij hen in de klas zat. Op de
televisie was hij geweest, er had een foto in de

krant gestaan en woensdagavond zou er een stukje van zijn vioolconcert op de radio te horen zijn.

'Vanmiddag...' zei de juf, 'ach, vertel het zelf maar David.'

'Vanmiddag moet ik naar de radiostudio in Hilversum. Dan zal er een opname gemaakt worden van de stukjes die ik speel.'

'Ef David dan vri'j, juf?' vroeg Henk-Jan.

'Vrij, vrij, zo zou je dat niet kunnen noemen,' zei de juf.

'Ik vin et niet eerlijk,' zei Henk-Jan, 'Wi'j magen nooit wat en dan kump David bi'j ons in de klasse en die mag alles.'

'Je moet niet zo zeuren, Henk-Jan, het is toch juist leuk dat we zo'n beroemd iemand in de klas hebben.'

Terwijl ze dat zei, was ze op het puntje van haar schrijftafel gaan zitten.

'David, wil je morgenochtend je viool mee naar school nemen? Dan kun je voor ons een stukje spelen.'

In de pauze kwamen Roos, Ellen en Eline op hem af.

'Gefeliciteerd,' zeiden ze.

'Heb je echt Máxima gezien?' vroeg Eline.

'Ja ,' zei David trots, 'ze had een rode jurk aan en gouden schoenen en ze zei: hartelijk gefeliciteerd.'

'En zei ze nog meer?' vroeg Roos.

'Ja, dat wel,' zei David.

'Mijn tante speelt ook viool,' zei Ellen, 'en ik speel piano.'

Mevrouw Ouwehand kwam erbij staan. Ze was voorleesmoeder bij de kleuters. Ze had een kopje koffie in haar hand.

'Ben jij niet dat jongetje wat zo mooi vioolspelen kan?' vroeg ze.

'Ja, dit is David en hij heeft een prijs gewonnen en prinses Máxima was erbij,' zei Eline.

De andere kinderen van de klas stonden op het hoekje bij het klimrek. Ze speelden niet, maar keken Davids kant uit.

10 Zo duur als een auto

David stond voor de klas. Hij had zijn viool in
zijn hand.
'Dit is mijn viool. Met deze stok strijk je en je
moet je viool zo onder je kin houden.'
Hij deed het voor.
'We noemen dit de klankkast en dat is een
kinhouder. Heeft er nog iemand een vraag?'
Zeven kinderen staken een vinger op.
'Hoe oud was je toen je begon?'
'Vijf.'
'Is het moeilijk om viool te spelen?'
'Vind ik niet.'
'Mag ik eens proberen?' vroeg Roel.
'Ja, eh...' zei David. Hij wilde eigenlijk zeggen dat
dat niet mocht van zijn vader en moeder. Daar
was een viool veel te duur voor. Alleen als je echt

kon spelen. Maar hij durfde dat niet te zeggen.
Gelukkig hielp de juf hem.
'Nee Roel, dat kan niet. Zo'n viool is wel duizend
euro waard. Is het niet David?'
'Wel iets meer. Hij is zo duur als een auto.'
'Een auto? Kom now, det kan niet,' riep Henk-Jan.
'Wat voor auto?'
'Een speelgoedauto zeker!' lachte Robbie.
'Gewoon als een echte auto. Deze stok is alleen al
meer dan duizend euro en voor de viool betaal je
wel tien keer zoveel.'

'Oei, dan moeten we wel heel voorzichtig zijn,' zei
de juf.
'Wat een onzin,' riep Richard, 'dan zou die viool
duurder zijn dan een brommer of een wasmachine
of een computer. Maak mij wat wijs. Het is maar
gewoon een stukje hout. David is een opschepper.'
'Umdet David uut Amsterdam kump, denkt-ie det
ie ons alles wies kan maken,' zei Henk-Jan.
'Jongens toch...' zei de juf. Ze was kennelijk een
beetje geschrokken. 'Als David dat nu zegt, dan
moeten we hem geloven. Nietwaar David.'
David snapte niet waar het over ging. De viool
was echt zo duur. Een goed instrument kostte
heel veel geld en er waren op de wereld violen
van wel meer dan een miljoen.
Henk-Jan trok zijn wenkbrauwen op, Evert
schudde zijn hoofd en Richard blies hoorbaar.
'Speel maar een stukje,' zei de juf gehaast.
David plaatste zijn viool onder zijn kin. De
kinderen in de klas keken hem aan. De meesten
zaten er niet erg geïnteresseerd bij.
David stemde.

'Welk stukje ga je spelen?' vroeg de juf.

'Het eerste stuk is....' zei David.

'Skiet ies op,' mompelde Henk-Jan. 'Begin now maar gewoon.'

David zette in, maar het ging niet echt lekker. Robbie rolde met zijn pen over de tafel, Ietje vouwde een papiertje in drieën en scheurde het een paar keer door, Evert trok aan het klittenband van zijn schoen en Jessica en Corine achter in de klas begonnen met elkaar te praten.

Wat nog nooit gebeurd was, gebeurde nu. Middenin het stuk wist hij niet meer waar hij was. Hij speelde uit zijn hoofd, dat deed hij altijd, maar nu was hij helemaal de kluts kwijt.

'Ik, ikke...' stotterde David. Hij was kampioen vioolspelen en hier stond hij maar wat te stuntelen. Hij schaamde zich rot.

'Ik, ikke... begin even overnieuw,' zei David.

'Is et dan nog niet of-elopen?' riep Henk-Jan.

'Ik dacht ook dat-ie klaar was,' mompelde Robbie.

11 Slaap, kindje, slaap

Hij zou ze eens wat laten horen, 't moest zo mooi klinken dat alle kinderen ervan onder de indruk raakten. Hij deed zijn ogen dicht en speelde zo goed als hij kon. Hij concentreerde zich en luisterde alleen maar naar zijn muziek, maar na enige tijd hoorde hij heel zacht iemand fluisteren: 'Kijk, hij heeft zijn ogen dicht. Hij slaapt.'
'Slaap, kindje, slaap,' begon een ander te zingen.
'Suja, suja, kindje.'
'Sssttt...' zei de juf.
'Sssstt... stil nou,' zeurde Henk-Jan nadrukkelijk, 'ssssssssssssttt...'
David sloeg een gedeelte over. De klas hoorde dat toch niet en na twee minuten was hij klaar. Deze muziek was veel te gevoelig en te zacht; hij

moest ze iets snels en hards laten horen. Dat klonk misschien beter.

'En nu zal ik jullie nog een stukje laten horen. Let maar op.'

Voor iemand het in de gaten had was hij al begonnen. De stok vloog over de snaren en zijn vingers waren niet te volgen, zo snel speelde hij. Hij speelde zo snel en zo hard als hij nog nooit had gespeeld. Maar in plaats van dat ze rechtop gingen zitten en hun oren spitsten, begonnen er een paar kinderen mee te trommelen met hun vingers op de tafel en anderen grinnikten. David loerde over zijn strijkstok naar de klas en naar de juf, maar zij keek niet naar hem. Ze hief haar hand op en deed haar wijsvinger tegen haar mond. Middenin het stuk hield David plotseling op. Hij hád hier niet moeten spelen.

'Zal ik stoppen juf?' zei hij met een smal stemmetje.

'Dat is wel goed jongen,' zei de juf. 'We hebben genoten van je prachtige spel, nietwaar, jongens?'

Er werd gekucht en gehumpt. David slikte. Hij

legde zijn viool achter in de klas op de bank.
'Pak je rekenboek maar,' zei de juf, 'en luister!'
Toen David ging zitten, trok Henk-Jan een
gezicht of-ie een citroen at. Wuang, wuang,
wauw, zong hij. Hij deed of hij een viool in zijn
hand had en er met een stok over streek. Robbie
lachte.
'Mooi è,' zei Henk-Jan.

David opende zijn rekenboek. Taak 15 zag hij bij Evaline die vlak voor hem zat. Hij bladerde en veegde met zijn hand over zijn ogen.

'Som 1,' zei de juf, 'dat gaat zo...' Ze stond op en liep naar het bord.

'Mag ik even naar de wc juf?' vroeg David.

De juf knikte.

In de wc keek David in de spiegel en toen hij zichzelf zag begon hij te huilen, hard te huilen.

Toen hij na een hele poos de klas weer in kwam, zat iedereen te werken. De juf was aan de instructietafel bezig met Ietje. David had met water zijn gezicht een beetje schoongemaakt, maar als je wist dat hij gehuild had, kon je toch nog duidelijk sporen van tranen zien. Maar niemand lette op hem. Hij schoof zijn stoel aan en begon te rekenen. De viool lag op de bank achterin de klas. Had hij hem maar nooit meegenomen, die stomme viool! Ze snapten er gewoon niks van.

12 Stomme viool

Hij had nog maar weinig gerekend toen de bel
voor de pauze ging.
'Ik leg je viool hier op de kast, dan kan niemand
erbij,' zei de juf. Ze pakte de viool, klom op een
stoel en legde hem voorzichtig boven op de
boekenkast.
'Oeijoeijoei wees voorzichtig, juf,' tetterde
Robbie.
'Laot em niet uut oe annen vallen,' zong Henk-Jan.
De juf stapte van de stoel af.
'Of had je hem liever in de vioolkist willen doen,
David?'
Hij haalde zijn schouders op. Natuurlijk had hij
hem in de kist moeten doen. Spelen wilde hij hier
op school toch niet meer, nooit meer.
'Ik wil dat er in deze pauze geen kind binnen is,'

zei de juf, 'begrepen? Je weet, we hebben een
kostbare viool in de klas.'

De kinderen liepen rumoerig naar buiten. De juf
stond bij de deur en sloot die toen er niemand
meer in de klas was. David slenterde achter de
andere kinderen aan naar buiten. Hij bleef staan
bij de deur. De kinderen draafden over het
speelplein of klommen op de rekken. De jongens
en meisjes van Davids klas speelden
verstoppertje. Zo'n beetje iedereen deed mee.
David was verdrietig en boos. Hij schopte tegen
het ijzeren rooster dat op de grond voor de
buitendeur lag en bij elke schop mompelde hij:
'Stomme kinderen, stomme viool... stomme
viool...'

'Juf, de viool,' riep Sari. Ze was na de pauze het
eerst in de klas.
De viool lag op de grond. De vier snaren stonden
overeind als een bosje prikkeldraad en in de hals
zat een knik.

David zag spierwit.

'David, je viool,' riep Michelle. Het was heel stil in de klas. De kinderen stonden in een halve kring om de viool.

'Wat is dat? Wie heeft dat gedaan,' schreeuwde de juf.

Ze duwde de kinderen opzij en pakte de viool van de grond alsof ze een dooie kat van de weg raapte. Langzaam liep ze ermee naar voren en legde hem op de tafel.

'Ga zitten,' zei ze kortaf.

Zwijgend namen de kinderen plaats. Alleen David niet. Hij bleef achter zijn stoel staan en trilde over zijn hele lichaam.

'Wie heeft dit gedaan?' Haar stem klonk ijzig. Ze keek de kinderen één voor één aan.

'Ik niet, juf,' zei Robert-Jan.

Roel schudde zijn hoofd. Nieki keek naar David.

'Ik vraag het nog één keer,' zei de juf. 'Henk-Jan?'

'Nee, juf, echt niet, ik speulen verstöppertien met Robbie en Ingmar en Danny en met veule anderen.'

'Maar Henk-Jan moest wel naar de wc, juf,' zei
Ietje.
Ietje klikte. Een andere keer zou de juf gezegd
hebben: dat moet je niet zeggen, Ietje. Henk-Jan
kan ons dat zelf ook wel vertellen. Maar dat zei
ze nu niet.
'Is het waar, Henk-Jan? Ben jij in de pauze
binnen geweest?'
'Maar niet in de klasse, juf. Eerlijk wöör.'
'Juf,' zei Dennis, 'ik heb ook gezien dat Henk-Jan
naar binnen liep.'
'Zo, dus jij bent binnen geweest. Kom straks na
schooltijd maar bij me. Wie heeft er nog meer
mee te maken?'
De deur ging open. De directeur kwam de klas
binnen. 'Hoorde ik het goed? Is er iets met de
viool van David?'
De juf tilde met twee vingers de viool een eindje
op. Niet alleen de hals was geknakt, niet alleen
waren de snaren gesprongen, maar ook in de
klankkast zat een flinke scheur.
'Sjonge, jonge.'

86

'En het is nog een heel dure viool ook,' zei de juf ernstig.

'Zo duur als een auto,' zei Marjolein die voorin zat.

'Wat zeg je?'

'Zo duur als een auto.'

De directeur keek naar David.

In de pauze was hij zijn appel vergeten. Hij was stiekem de gang ingelopen en voorzichtig had hij de deur van het lokaal opengedaan. Het was leeg in de klas. En stil. Hij sloop naar binnen. De appel lag op zijn tafeltje. Bovenop de kast lag zijn viool. Zijn eigen mooie viool. Hij had er zo prachtig op gespeeld. En hier op school...

Weer werd hij verdrietig, zo verdrietig dat de tranen in zijn ogen sprongen. Hij werd verdrietig van verdrietigheid en toen werd hij kwaad. Heel kwaad. Hij pakte de bezem uit de hoek van het lokaal en sloeg daar mee in de lucht naar zijn viool. Drie keer zoefde de bezem door de lucht. Bij de vierde keer raakte hij de hals van de viool. De viool draaide, kantelde, suisde naar beneden en

viel met een krakende klap op de grond. De snaren
trilden en sprongen. David schrok. Hij hapte naar
adem en binnen een paar tellen stond hij weer
buiten bij de deur.
De deur van de klas ging weer open. Meester Cees
verscheen om de hoek van de deur. 'Is de viool
kapot?'
'Ik had hem bovenop de boekenkast gelegd,' zei
de juf.
'Wie is er in de pauze binnen geweest?' vroeg de
directeur
Drie, vier kinderen wezen naar Henk-Jan.
'Tja juf, het is een ernstige zaak. Wij op school
zijn hier voor verantwoordelijk. En wie moet dat
betalen?'
'Kan hij er niet vanzelf zijn afgevallen?' riep
Ingmar, 'dat-ie niet goed lag of zo?'
'Ik heb hem daar zelf opgelegd,' zei de juf, maar
haar stem klonk onzeker.
'Hoe heb je hem er opgelegd?' vroeg de directeur.
'Nou, gewoon, erbovenop.'
'Zo...' zei de directeur.

De juf werd rood en begon een beetje te stotteren. 'Ik heb hem er echt... eh... heel goed opgelegd. Niet... nnnietwwwaar jongens?'

Geen van de kinderen reageerde.

'We denken trouwens dat Henk-Jan er iets mee te maken heeft,' haastte de juf zich.

Meester Cees liep naar de viool, bekeek hem van alle kanten, draaide hem om. 'Kijk,' zei hij, 'ook aan de achterkant zit een gat. Wat een puinzooi.'

'We zullen Davids ouders op de hoogte moeten brengen,' zei de directeur.

Henk-Jan lag met zijn hoofd op zijn armen. Juf had tranen in haar ogen en David trilde nog steeds.

'Kom maar hier David,' zei de directeur.

Hij legde zijn hand op Davids schouder. 'Jongens en meisjes... dit is intriest! David hier is net een paar dagen bij ons op school en dan gebeurt dit. Nog wel bij een jongen die zo prachtig viool kan spelen.'

Het was heel stil.

De directeur opende de deur.

'Henk-Jan, jij komt straks even bij mij.'

'Juf,' zei David zacht. Zijn stem klonk alsof er een matje onder hem werd weggetrokken. 'Juf, Henk-Jan heeft er niks mee te maken, ikzelf deed het.' Hij sprak heel zacht, maar het was zo stil in de klas dat zijn stem tot in alle hoeken te horen was.

Henk-Jan tilde zijn hoofd een eindje op en keek David verbaasd aan.

'Ik vind het lief dat je de schuld op je neemt,' zei de juf ontroerd.

'Maar het is waar.'

Er werd gefluisterd in de klas, het klonk als zuchten.

De directeur duwde David behoedzaam over de drempel. 'Arme jongen,' mompelde hij. ♦

13 Dank u wel, majesteit

David had heel slecht geslapen en de paar uurtjes
die hij wel sliep, droomde hij over zijn viool.
'Fijn dat je er bent,' zei juf toen David de klas in
kwam.
Fijn dat je er bent.
De directeur had hem naar huis gebracht en
meteen daarna gingen mama en hij naar de
vioolbouwer in Amsterdam. 'Dat ziet er niet best
uit,' had de vioolbouwer gezegd, 'hoe heb je dat
voor mekaar gekregen?' Hij bekeek de viool van
alle kanten en schreef op een papiertje wat er aan
mankeerde. 'Die viool kan gerepareerd worden,
maar het wordt wel een heel kostbare reparatie.'
Fijn dat je er bent.
Hij was in bed blijven liggen. 'Ik wil niet naar
school,' had hij gezegd toen mama kwam kijken

waar hij bleef. 'Ik heb buikpijn en hoofdpijn en ik
voel me misselijk.'
'Kom op,' zei mama, 'we gaan gewoon naar school.
Opschieten!'
We? dacht hij. We?... wie we?
Hij had zich akelig langzaam aangekleed.
De kinderen keken naar hem. Henk-Jan zat
kleintjes achter zijn tafel en friemelde aan de
koordjes van zijn trui.
'We hebben er gisterenmiddag nog over gepraat,
over je viool. Henk-Jan beweert dat hij hem echt
niet stuk heeft gemaakt. Misschien is dat ook zo
en heb ik de viool zelf niet goed weggelegd en is
hij daarom gevallen.'
'Nee, juf,' zei David heel zacht, 'ik heb het zelf
gedaan.'
Maar de juf luisterde niet. Hij kon zeggen wat hij
wilde, ze geloofde hem toch niet.
'En wat zei de vioolbouwer?'
'Heel duur,' zei David, 'wel meer dan tweeduizend
euro.'
Het werd erg stil in de klas.

Opeens stak Roos haar vinger op. 'Juf, kunnen wij David niet helpen? We gaan iets doen om geld bij elkaar te krijgen voor Davids viool. Een sponsorloop of zo. Dat kan toch best.'

Maar een sponsorloop of een bazaar hoefde er niet gehouden te worden. Mama belde vlak voor het eind van de middag naar school. Ze had de meneer van de verzekering gesproken. Hij had gezegd dat de verzekering de hele reparatie zou betalen, omdat het om een soort ongeluk ging. Dennis fietste na schooltijd met David mee.

De kinderen waren de volgende dag allemaal nog net zo aardig als de dag daarvoor. Dennis kwam meteen op David af. 'Doe je mee met verstoppertje?'

In de pauze speelde David weer mee.

En toen gebeurde er iets, middenin de pauze, wat alleen maar in een verhaal kan voorkomen. Maar hier bij David gebeurde het echt.

Voor school stopten twee marechaussees op motoren en een heel grote auto daarachter. Een

man in een beige regenjas stapte uit. Hij liep
naar het eerste het beste kind en vroeg: 'Zit hier
op school ook een zekere David Dommel? Hij
speelt viool.'
David had zich aan de andere kant van het
speelplein verstopt achter het fietsenhok en toen
hij zijn naam hoorde roepen, dacht hij dat iemand
zijn schuilplaats wilde verraden en hij verstopte
zich in de bosjes achter het schoolgebouw.
Niet twee of drie kinderen riepen zijn naam, maar
wel honderd.
'Daar is-ie,' hoorde hij Robbie zeggen. Robbie
pakte hem bij zijn arm en trok hem de bosjes uit.
'Er is iemand voor jou, David.'
Ze kwamen om het hoekje van het fietsenhok te
voorschijn. Alle kinderen liepen in de richting
van David. Ook de meesters en juffen waren op
het plein gekomen. Ze riepen en ze wezen naar
David.
'Dat is David.'
'Daar.'
'Die.'

Nieki en Sari namen David tussen zich in en
brachten hem naar de man met de beige regenjas.
'Dit is David,' zei Nieki.
'Zo,' zei de meneer, 'jij bent dus David. Dan heb ik
een verrassing voor jou.'
Het achterlinkerportier van de auto waar de man
uitgekomen was, ging open en een mevrouw
stapte uit. Ze kwam op David af en hij zag
meteen wie ze was. De prinses!
'Dag David,' zei ze. Ze gaf hem een hand. Het was
een warme hand. David werd er verlegen van.
'Ik wilde jou iets vragen David. Over een tijdje
ben ik jarig. De dag voor mijn verjaardag wil ik in
het paleis een concert geven en ik wil jou vragen
om op dat verjaardagsconcert een stukje te
spelen op je viool.'
David zei niet 'ja' en David zei niet 'nee'.
Hij keek de prinses alleen maar aan met grote
ogen.
'Ik moest vanmorgen naar een vergadering in
Zwolle en op weg daar naartoe kwam ik door
Zalkerbroek. In het stukje over jou in het

programmaboekje van het concours stond op welke school je zat. Toen dacht ik: ik vraag het David zelf. Hier heb ik een brief voor je. Laat die maar aan je ouders lezen.'

Meester Cees stond vlak achter David.

'Dank u wel, majesteit,' zei hij zacht in Davids oor.

'Dank u wel, majesteit,' zei David.

De prinses boog zich naar David toe en gaf hem een zoen.

'Fijn dat je wilt,' zei ze.

De juf stond naast meester Cees en daarnaast stond Henk-Jan.

'Ik ben Davids juf,' zei de juf. Ze stak haar hand uit.

'En ik zitte naost David in de klasse,' fluisterde Henk-Jan verlegen. 'En eh... ik wil oe wat zeggen. David ef gien viool.'

'Wat zeg je? Geen viool? Wat vervelend,' zei de prinses.

'Zien viool is evallen en eh... now is ie kepot,' verduidelijkte Henk-Jan.

'Kapot? Gelukkig dat David zelf niet stuk is,'

lachte de prinses, 'wees maar zuinig op David,
want hij is een bijzondere jongen. En een viool
hebben we in het paleis nog wel voor hem. Ik zal
ervoor zorgen dat hij die krijgt.'
David kleurde.
Meester Cees raakte David voorzichtig aan.

'Dank u wel, majesteit,' fluisterde hij.

'Dank u wel,' zei David, 'majesteit.'

'Mooi zo,' zei de prinses, 'tot ziens.'

De prinses gaf meester Cees en de juf een hand, zwaaide naar de andere meesters en juffen en naar de kinderen en stapte in.

Ze keken allemaal de auto na, die snel verdween in de richting van de grote weg.

'En nu naar binnen,' riep de directeur. Hij klapte in zijn handen. De kinderen uit Davids klas namen hem in hun midden. Ze wilden allemaal wel wat tegen hem zeggen.

Bij de deur bleven Henk-Jan en Robbie staan. 'Ie magen veur,' zei Henk-Jan tegen David.

Maar David lachte en duwde eerst Robbie en toen Henk-Jan over de drempel.

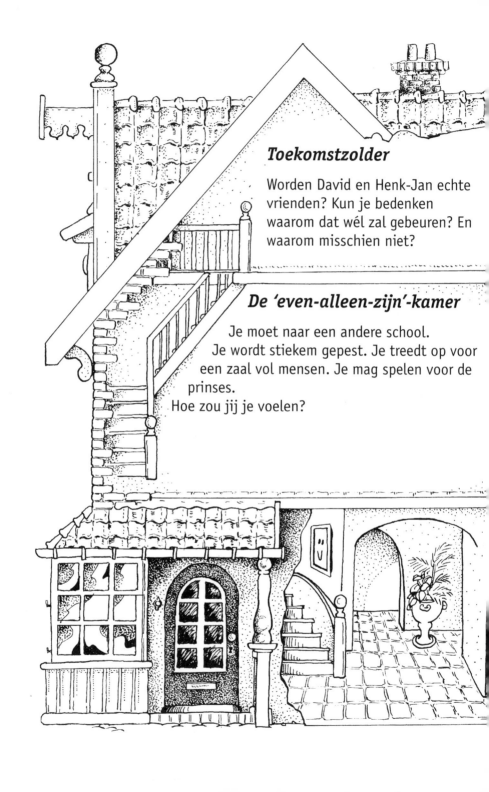

Toekomstzolder

Worden David en Henk-Jan echte
vrienden? Kun je bedenken
waarom dat wél zal gebeuren? En
waarom misschien niet?

De 'even-alleen-zijn'-kamer

Je moet naar een andere school.
Je wordt stiekem gepest. Je treedt op voor
een zaal vol mensen. Je mag spelen voor de
prinses.
Hoe zou jij je voelen?

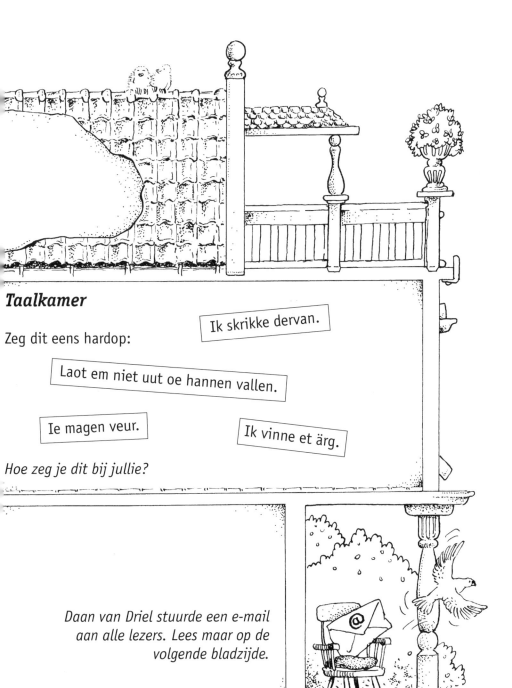

Taalkamer

Zeg dit eens hardop:

Ik skrikke dervan.

Laot em niet uut oe hannen vallen.

Ie magen veur.

Ik vinne et ärg.

Hoe zeg je dit bij jullie?

*Daan van Driel stuurde een e-mail
aan alle lezers. Lees maar op de
volgende bladzijde.*

Van: kamp-n@hetnet.nl (of mail Daan van Driel
via: villa@maretak.nl)
Aan: <alle lezers van 'Solo: David Dommel'>

Toen ik zo oud was als David Dommel woonde ik wél in
Amsterdam in de buurt van de Rooseveltlaan, maar ik
speelde geen viool. Ik wist nauwelijks hoe een viool
eruitzag. Nu woon ik in een dorp in de buurt van Zwolle.
Ik speel nog steeds geen viool, maar ik weet wel hoe een
viool eruitziet en ook hoe die klinkt. Mijn vrouw speelt
viool en twee van mijn dochters zijn violiste.
Er zijn echt wedstrijden voor violisten. Voor kinderen zijn
er de Iordens viooldagen. Die worden gehouden in Den
Haag. Mijn jongste dochter Judith heeft daar wel eens aan
meegedaan en toen ik bezig was met het verhaal over
David Dommel, vroeg ik vaak aan haar: hoe ging dat nou
precies?
Schrijven doe ik maar zo af en toe. De meeste tijd sta ik
voor de klas. De kinderen van mijn klas lijken een beetje op
de kinderen uit dit boek. Ze zijn allemaal wel ergens goed
in. Maar dat is natuurlijk niet het belangrijkste. Dat ze
aardig zijn voor elkaar, daar gaat het om.
Ik vind het leuk als je mij een e-mailtje schrijft, maar als je
iets over vioolspelen wilt weten, kun je dat beter aan
Judith vragen (judithvdriel@hotmail.com).

De hartelijke groeten van Daan van Driel

VillA-vragen

🏠 *Vragen na hoofdstuk 2, bladzijde 20*
1 Hoe denkt David terug aan zijn klas in Amsterdam?
2 Pesterijtjes: stoel naar achter schuiven, stoel onder de tafel, streep in het rekenboek. Waarom doen de kinderen van zijn nieuwe klas dat?
3 Begrijp je waarom David thuis meteen zijn viool pakt?

🏠 *Vragen na hoofdstuk 6, bladzijde 47*
1 Nog meer pesterijtjes: opgesloten in de wc, mandarijnenschillen opruimen, oud brood moeten eten. Snap je waarom David zich niet verstopt?
2 Wat moet David doen om vrienden te worden met de kinderen van zijn nieuwe klas?

🏠 *Om over na te denken na hoofdstuk 12, bladzijde 91*
1 Een concours winnen, applaus krijgen, trots zijn. Belachelijk gemaakt worden als je daarna in je eigen klas speelt. David moet zich echt eenzaam gevoeld hebben.
2 Solo: alleen spélen. Solo: je alleen vóelen. Verdriet wordt woede. Kun jij dat begrijpen?

VillA Alfabet